Los agujeros negros

Yolanda Reyes

loqueleo

Para Iván, para Laura y Andrea...
y para todos nuestros niños,
que cultivan esperanzas entre
los bosques de niebla.

Prólogo
La historia de esta historia

"Ojalá ustedes nunca tengan que vivir una guerra", decía mi abuela y cerraba los ojos, como rogándoselo al futuro. No recuerdo cuántos años tenía yo ni de cuál de todas las guerras hablaba ella. Tal vez se refería a la Guerra de los Mil Días, a la época de la violencia en Colombia o a otras guerras que ocurrieron cuando yo no había nacido. De lo que sí me acuerdo todavía es de las imágenes que pasaban por mi cabeza mientras la oía. Mi imaginación mezclaba gente comiendo ratas y suelas de zapatos en ciudades sitiadas, con lanceros casi desnudos escalando páramos, y a esas escenas, sacadas de mis libros de historia, les añadía las imágenes fastuosas de otras guerras de película.

Yo era una niña entonces y creía que la guerra era más escandalosa y menos cotidiana: que se tomaba la molestia de avisar antes de entrar a las casas y que tenía una fecha de inicio y otra de final, como en la lista de batallas de mis textos escolares. Pero, sobre todo, creía que las palabras y la presencia protectora de mi abuela serían suficientes para espantarla de mi vida.

Durante muchos años confié en que el fantasma de la guerra se hubiera quedado en el pasado. Y como esta guerra nuestra fue llegando despacito, sin trompetas anunciándola, la verdad es que no me di mucha cuenta de cuándo empezó. Ahora que lo pienso, siempre debió estar ahí: algunas veces escondida y otras veces más visible. Lo cierto es que no pude librarme de ella y que todos nosotros, los grandes y los pequeños, hemos vivido tiempos difíciles en Colombia. La historia que voy a contarles, es hora de decirlo, nació de esos tiempos difíciles y sucedió en la vida real.

Los agujeros negros se publicaron por primera vez en una colección sobre los Derechos de los Niños que hizo la editorial Alfaguara con el apoyo de UNICEF en el año 2000 y en la cual se encargó a los autores de diversos países de habla hispana, desde Argentina hasta España, la creación de un cuento a partir de un derecho de los niños. Así por azar, como en uno de esos sorteos que a veces se hacen en el colegio para asignar temas de trabajo, a cada escritor le correspondió un derecho para escribir su cuento. El derecho que a mí me tocó en suerte decía así: "Los niños tienen derecho a recibir auxilio y protección". Por esos días se sabía que había niños secuestrados en nuestro país, que muchos otros sufrían por el secuestro de sus padres y que también había menores en las filas de los distintos grupos armados. Además, como tal vez les ha sucedido a ustedes, bastaba con salir de la casa para ver niñas y niños desplazados en las calles cercanas, sin tener derecho a nada y, menos que nada, a recibir protección o auxilio.

No era fácil escribir un cuento en semejantes circunstancias y, por eso, muchas veces estuve a punto de entregar mi hoja en blanco. Pero, justo cuando iba a rendirme, se me vino a la cabeza una imagen de la historia que van a leer. Me acordé del dolor que sentí una mañana cuando abrí el periódico y encontré la noticia del asesinato de un papá y una mamá, en la que también se relataba cómo su pequeño hijo se había salvado de milagro…

Me imaginé a esa mamá y a ese papá, a los que nunca conocí, usando los últimos instantes de su vida para poner a salvo a su chiquito y el cuento empezó a salir de esa imagen que se me había quedado en la memoria y que me seguía doliendo, como una herida abierta. Así como a veces los escritores encontramos el material de los cuentos en una imagen fantástica, feliz o disparatada, otras veces es el dolor el que nos lleva a contar una historia. En este caso, yo necesitaba nombrar un dolor profundo y, para expresarlo, le fui prestando a la historia pedazos de mi propia vida: de mi miedo, de mi amor, de mi confusión y mis lágrimas. Poco a poco, me fui metiendo en la piel de esa mamá y también en la piel de ese niño y luego en la piel de esa abuela y así, lentamente, empezaron a cobrar vida los personajes del cuento.

Durante muchos días trabajé con las palabras, como intentando hacer un regalo a esa familia y a tantas otras familias, conocidas y desconocidas, que han perdido a los seres más amados en esta larga guerra. Quería acompañar el duelo de un niño que crece haciéndose preguntas muy difíciles, hasta lograr entender lo mucho que sus padres lo quisieron, porque creo que el amor y la esperanza a veces se ocultan en donde menos nos imaginamos, como esas flores silvestres que uno encuentra en medio de un precipicio. También quería "congelar" esa última imagen de unos padres poniendo a salvo a su hijo, pues creo que eso es lo que deberíamos hacer los adultos colombianos: poner en primer lugar a todos nuestros niños.

Ese primer lugar que se merecen los niños no es un favor, sino un derecho, y está consagrado en los tratados internacionales que protegen a la infancia, lo mismo que en el artículo 44 de la Constitución Política de Colombia de 1991, como verán al final del libro. Tengo la esperanza de que si todos conocemos los derechos de los niños, si los tenemos presentes en nuestras decisiones cotidianas y si exigimos su cumplimiento, las palabras podrán ir cobrando, poco a poco, una dimensión más real.

Los agujeros negros recogen esa mezcla de sentimientos: desde el dolor hasta la esperanza. Así como son reales los momentos tristes, también es real ese lugar maravilloso, en la Reserva Forestal de San Juan del Sumapaz, donde hay una inmensa Fábrica de Agua que nace entre los bosques. Ese paraíso que los padres de nuestro personaje quisieron preservar para sus descendientes puede ser un símbolo de las enormes “reservas” con las que contamos. Algunas de esas reservas se asoman entre bosques de niebla y otras se pueden visitar con la imaginación. Y en todas ellas siempre es posible cultivar una flor, especialmente cuando los tiempos parecen más difíciles.

Como me he pasado tantos años compartiendo historias con niños, sé que hay que hablar de los tiempos difíciles y creo que, tanto los niños como los adultos, necesitamos nombrar las cosas que más nos duelen, precisamente porque nos duelen. Sé también que el silencio puede ser muy doloroso. Quizás por eso intenté dar palabras a *Los agujeros negros*.

YOLANDA REYES

Bogotá, noviembre de 2005

—Abue, tengo miedo.

—¿Del lobo?

—Sí, del lobo.

—El lobo se queda aquí encerrado —dijo la abuela y cerró el libro—. Los lobos no existen.

—Claro que existen. En el bosque hay lobos y tigres y leones. Yo he visto lobos en los bosques de la televisión.

—Pero nosotros no vivimos en el bosque. En Bogotá no hay lobos.

—¿En el campo hay lobos, abuela?

—No. Los lobos viven en países muy lejanos. En bosques donde hace mucho frío.

—En el campo hay un bosque. ¿Estás segura de que en el bosque del campo no hay lobos?

—Completamente segura.

—Yo me acuerdo del bosque, al lado de la casa. Yo jugaba a esconderme y papá jugaba a encontrarme. El bosque tenía una alfombra. ¿Por qué había una alfombra en el piso del bosque?

—No sé.

Siempre contesta "no sé" cuando hablo del campo. "No sé" cuando hablo de papá y del bosque. Dice que no se acuerda del bosque. Dice que está perdiendo la memoria. Dice que los bosques no tienen piso de alfombra. Pero yo le digo que sí tienen. Mi bosque era enorme. Yo me perdía y papá me encontraba.

—Debe ser una alfombra de musgo —me dijo el tío Ramón, una noche cuando le puse el tema. Había venido de Medellín a hacer un trabajo y se quedó a dormir en nuestra casa—. ¿Qué más recuerdas del campo?

—La quebrada. El agua era transparente y el fondo negro. Era una quebrada oscura, como un agujero negro, pero bonito. Porque también hay agujeros negros feos.

La abuela dejó de lavar los platos y nos interrumpió. Prefirió dejar los platos sucios, con tal de interrumpirnos. Le dijo al tío Ramón que era muy tarde, que mañana había colegio y que tenía que dormirme ya. Le hizo cara de "más tarde hablamos". Esa cara que ella hace siempre, cuando vienen las visitas, y yo empiezo a dar vueltas por ahí. Yo conozco esa cara y la llamo Cara de Misterio. Sé que hay cosas de las que ella no quiere hablar. Y también sé que hay agujeros negros en la noche. Yo los he visto. Cuando ella ya se ha ido a su cuarto, cuando acaba todos los cuentos que se sabe. Cuando apaga la luz y sólo deja encendida la del corredor para que yo no me asuste y ella tampoco. En nuestra casa siempre está encendida la luz del corredor, pero los agujeros negros siguen ahí. Ella lo sabe, así se haga la valiente.

—Al niño hay que protegerlo por encima de todo —le dijo esa noche a mi tío Ramón. Hablaba como regañando o como llorando, no sé. Al tío Ramón no le importó el regaño y siguió

hablando. Yo me hacía el dormido para poder oír.

—Si te hace preguntas, es porque quiere saber más. Quiere saber del bosque.

—Es un niño. Y mi deber es protegerlo.

La voz del tío Ramón sonaba como un susurro. Yo sólo entendí las frases de la abuela.

—No, mientras yo viva. Y voy a vivir muchos años para cuidarlo. Voy a vivir hasta que sea un hombre hecho y derecho y ya no me necesite. Se lo prometí a Margarita.

La abuela cerró la puerta de su cuarto y el tío Ramón siguió hablando solo:

—Las cosas no desaparecen sólo porque dejes de nombrarlas —le dijo a la puerta. Cuando la abuela no quería hablar, era igual que hablar con una puerta.

Al otro día me desperté y Ramón ya no estaba. La abuela dijo que el avión salía muy temprano para Medellín y que por eso se había ido sin despedirse de mí.

—Te dejó muchos besos y que te quiere mucho.

Quería preguntarle por qué la gente que me quería mucho se iba sin despedirse, pero me salió una pregunta distinta:

—¿De ti sí se despidió, abue?

Ella me contestó con otra pregunta:

—¿Quieres Milo o cereal?

Esa mañana, frente a un vaso de leche con agujeros de chocolate, pensé que tenía que averiguarlo.

—¿Averiguar qué? —me dijo Violeta, cuando se lo conté el lunes en el recreo.

Yo no encontré bien las palabras. Hice Cara de Misterio y pensé que me estaba pareciendo a la abuela. De tanto vivir con ella, seguro.

—Averiguar qué pasó esa noche —dije por fin—. Cuando... ya sabes...

—¿Cuándo se murieron tus papás y te quedaste huérfano?

—Sí, huérfano.

Pronuncié despacio cada letra como si fuera de otro idioma. Huérfano era una palabra de cuentos o de películas tristes, una de esas palabras casi tan irreales como el lobo, que la gente nunca decía en las visitas y que la abuela sólo usaba para llenar los papeles del seguro o para fechas importantes como el primer día de colegio.

—Te quedaste mudo, Juan —dijo Violeta—. No me digas que te volviste tan sensible como mi mamá.

—¿Qué tiene que ver tú mamá?

—Que ayer le dije "divorciada" y se puso a llorar como si le hubiera dicho una grosería.

Me gustaba Violeta. Aunque estaba dos cursos más arriba, era mi mejor amiga. La única persona, además de la abuela, que me conocía de verdad. Pero ella era distinta. A cada cosa la llamaba por su nombre.

—Tienes que ayudarme a averiguarlo, Violeta. Tu mamá y la mía eran las mejores amigas.

—Dame unos días para investigar... Yo creo que el viernes voy a tener alguna pista. Además, me fascina resolver enigmas.

No se me había ocurrido que yo fuera un "enigma" y me gustó oírselo decir porque a las mujeres les fascina el misterio y eso me daba puntos. Ninguno de su clase, ni siquiera el capitán del equipo de fútbol, tenía un enigma verdadero para descubrir.

—Espero tus pistas —dije, tratando de sonar como un detective.

El viernes por la tarde, la abuela me llevó a la casa de Violeta. Era parte de nuestro plan.

—¿A qué horas vengo a recogerlo, Violeta? —preguntó la abuela.

—Un momento averiguo —contestó ella. Entró hasta el fondo del apartamento y volvió con la respuesta:

—Más o menos entre siete y ocho.

—Entonces, hasta luego. Y dale saludos a Ángela.

—¡Tengo tantas pistas que no sé por cuál empezar! —gritó emocionada.

—No grites que tu mamá nos oye, se lo cuenta a la abuela y se acaba nuestra investigación.

—Mi mamá llega tarde. Hoy tiene una reunión de trabajo.

—Entonces, ¿a quién le preguntaste lo de la hora?

—¿Cuál hora?

—La que le dijiste a mi abuela. Que podía venir por mí entre siete y ocho.

—Pues a nadie. Fui hasta el cuarto de mamá, miré su despertador y me imaginé lo que habría contestado ella. Siempre dice una hora así, no muy exacta, para dar un margen.

¿Cuándo vas a avisparte un poco? Para ser detective, te falta imaginación.

—¿A qué horas vuelve tu mamá?

—Dijo entre nueve y diez. O sea que a las once, por temprano.

—¿No te da miedo quedarte sola cuando yo me vaya?

—No seas ridículo. Ya no soy una bebé. Acompáñame a la cocina y hacemos la comida para poder mostrarte el tesoro.

—¿Comer a esta hora? No tengo hambre.

—Yo tampoco, pero luego vamos a estar muy ocupados.

Yo la admiraba porque sabía preparar una comida, como si fuera grande. Y mientras dos piernas de pollo daban vueltas en el microondas, me empezó a contar lo que había investigado.

—Tu mamá y mi mamá se conocieron en la universidad —dijo Violeta.

—¿Eso fue lo que averiguaste? Si todo el mundo lo sabe.

—¿Me dejas hablar?

—Está bien. Habla.

—Desde el primer día las dos se hicieron muy amigas porque eran diferentes del resto de la clase. Todas las de su edad sólo pensaban en novios y en las fiestas y ellas se preocupaban por otras cosas. Se metieron a un grupo de jóvenes que hacían trabajo social en un barrio a la salida de Bogotá y allá empezó todo.

—¿Qué es todo?

—Todo es todo. Tu mamá se enamoró de tu papá, que era mucho mayor que ella. Con decirte que era su profesor. Pero bueno, la edad no importa, ¿cierto? Mamá dice que eran tal para cual y que era imposible no quererlos. Que toda le gente los conocía y los quería a primera vista.

—No toda la gente los quería —dije con una sombra de tristeza—. Había gente que no los quería.

—No hagas esa cara que no te estoy obligando a comer. Deja el plato ahí, para mostrarte el tesoro.

Me tomó de la mano y me llevó al cuarto de su mamá. Sacó un álbum de fotos de la estantería, lo abrió y empezó a pasar las páginas.

—Aquí están juntas: Margarita y Ángela. El chiste debía ser muy bueno porque se reían mucho. Mamá dice que nunca se ha reído tanto con nadie como se rio con tu mamá. Dice que era una carcajada ambulante, que cuando piensa en ella, la ve riéndose. Además, era muy

linda. Mírala en esta foto. ¡Qué cuerpo! ¿Tú te acuerdas de ella?

—Casi no me acuerdo de su cara —le confesé—. A veces creo que me acuerdo pero no sé si es porque he visto tantas veces las mismas fotos con la abuela.

Violeta me miró desilusionada.

—Yo pensé que las fotos iban a ser una novedad para ti.

No me atreví a decirle que las fotos no resolvían nada. Las fotos no hablan, ¿o sí?

Seguimos pasando las páginas en silencio y fue entonces cuando apareció el bosque.

Papá y mamá abrazados en mi bosque: la risa de mamá, sus dientes blancos, casi su voz... Los brazos de papá, sus botas enormes, sus pasos cuando corría para encontrarme. Y yo me perdía. Me miré los pies y me pareció verlos más pequeños, con unas botas rojas muy

brillantes. Me acordé de esas botas. ¿Dónde estarían?

—Esa es la alfombra del bosque —le dije a Violeta, señalando el piso.

—No es una alfombra, es musgo —dijo ella.

—Bueno, musgo. Nunca había visto fotos del bosque. En mi casa no hay fotos del bosque.

—Buena pista —dijo Violeta—. Mamá dice que tu abuela borró el bosque de su memoria y que nunca quiso volver a nombrarlo.

—¿Por qué?

—Ese es precisamente el misterio que tenemos que averiguar.

—Entonces seguimos en el mismo punto —le dije.

—No puedo sacarle todas las pistas de una vez —se defendió Violeta—. Un buen detective tiene que ir paso a paso para no despertar sospechas. Además, somos dos y tú tienes a tu abuela, que es una pieza clave del enigma. Deberías ayudar un poco.

No me gustó que se tomara tan en serio el juego de los detectives. Para mí no era un juego pero tampoco me atreví a decírselo.

La abuela pensó que habíamos peleado porque no quise hablar una sola palabra en el camino de regreso.

Esa noche no quería dormir. Le pedí a mi abuela que me contara todos los cuentos, uno tras otro. Los quería todos a la vez. Todos, hasta que se quedara sin voz. Los de ahora y los de antes. La hice retroceder hasta el cuento de "El lobo y los siete cabritos". Había sido mi preferido durante muchos años.

—¿Cómo se salvó el más pequeño de los siete cabritos, abue?

—Se escondió entre la caja del reloj. Se quedó ahí agazapado, sin respirar. Y esperó, temblando, hasta que sintió que las pisadas del lobo, blancas de harina, se perdían en el fondo del bosque. Y todavía después esperó mucho rato sin atreverse a salir. Ni siquiera cuando oyó la voz de la madre, angustiada, preguntando por sus hijos, quiso salir.

—¿Como yo, esa noche? —me salió una voz que no había pensado. Una voz mía, que temblaba. Una pregunta de hace muchos, pero muchísimos años, que por fin se volvía voz.

La abuela se quedó muda. Bajó los ojos para no mirarme, puso los ojos fijos en un cuadrito de la alfombra y los dejó ahí para que yo no viera las lágrimas.

—Yo me acuerdo, abuela. Mamá me guardó entre el armario. Me dijo que no tuviera miedo. Pero yo tenía miedo. Me dijo que no llorara. Se fue corriendo y trajo mi osito de peluche. Me dijo que lo abrazara muy fuerte, que él me acompañaba, y se volvió a ir. No le importó que yo tuviera miedo. No le importó que estuviera oscuro.

—Sí le importó —dijo la abuela—. Lo único que le importó fue que estuvieras a salvo. Luego se los llevaron a los dos. Tu madre alcanzó a mirarme con sus ojos negros muy abiertos y yo le dije con la mirada que se fuera tranquila,

que yo me quedaba contigo. Y me quedé para cuidarte. Y aquí estoy.

—¿Por qué no me llevó?

—Por protegerte. Porque eras lo que más quería en la vida. Porque los dos te habían esperado durante mucho tiempo y eras lo más importante, lo mejor que tenían: lo más hermoso. Cuando conocieron el Bosque de Niebla, tú todavía no existías pero ellos soñaban con tenerte. Decían que estaban preservando ese lugar para sus hijos y sus nietos. Apenas cumpliste dos meses, te vacunaron y te llevaron a conocerlo. A mí me pareció una locura. Pensé que te ibas a enfermar, que te iban a picar los bichos, pero al contrario, llegaste feliz. Tu mamá se bañaba contigo en la quebrada. Cada vez que tenía un tiempo te llevaban y tú eras el niño más feliz de la tierra cuando nombraban la palabra Sumapaz.

—Mi papá me llevaba a caminar por el bosque. Me acuerdo de la lluvia. Me acuerdo de su mano grande y de mis botas rojas.

—¿Te acuerdas de las botas rojas? Tu papá decía que eras su duende. Él mismo fabricó una silla de lona, para llevarte colgado a sus espaldas y recorrer las casas de los campesinos. Les ayudaba a cuidar los árboles y les enseñó que entre el Bosque de Niebla y el Páramo estaba la Fábrica de Agua y que su misión más importante era ser cultivadores de agua.

—¿Cómo se cultiva el agua, abuela?

—Dejándola nacer entre los páramos y los bosques. Por eso tus papás y sus amigos crea-

ron la Fundación San Juan del Sumapaz, para proteger el bosque. Fueron reuniendo ahorros y compraron tierra entre todos, poquito a poco. Luego empezó a ponerse difícil la vida en el campo, con todos esos grupos armados.

—¿Eran enemigos de mis papás?

—No, ellos no tenían enemigos. Al menos, eso creían. Pero había grupos armados que querían controlar la región. Y cada grupo quería cosas diferentes de los campesinos. Tal vez tus papás se convirtieron en un obstáculo.

—¿Por qué?

—Porque ellos les ayudaban a los campesinos a creer en su pequeños proyectos. O porque los dos trabajaban por los derechos humanos, quién sabe... Hay trabajos que no le gustan a cierta gente.

—¿A quién no le gustan? ¿Quiénes eran los malos, abuela?

—No sé —dijo—. No es nada fácil. No es como en los cuentos. No creo que puedas entenderlo por ahora.

—Tal vez sí. Ya no soy un bebé.

—Yo soy muy vieja y todavía no lo entiendo.

—¿Puedo pedir dos deseos, abue?

—¿Cuáles?

—El primero es dormir esta noche contigo.

—Concedido —dijo con voz de cuento.

—El segundo es que me lleves a San Juan del Sumapaz.

—No creo que sea fácil, pero voy a pensarlo. Te doy mi palabra —dijo la abuela.

Volvió a clavar los ojos en el mismo cuadrado de la alfombra y no habló más. Se quedó pensando y yo me dormí sin saber la respuesta.

Al otro día, temprano, la oí hablar con el tío Ramón y con la tía Elvira. A los dos les dijo que había pasado la noche entera sin pegar los ojos.

Pasó mucho tiempo. Pasó la semana deportiva y llegaron las evaluaciones. Pasó la Navidad y vino el Año Nuevo. Entré al curso siguiente. Y aunque la abuela me había dado su palabra, pensé que se le había olvidado. De pronto era verdad que estaba perdiendo la memoria. Llegó la noche antes de mi cumpleaños y ella no me preguntó nada, como hacía todos los años. No se le ocurrió decirme si quería hacer una fiesta o qué quería de regalo. Que se le olvidara su promesa del bosque era terrible, pero lo del cumpleaños era espantoso. Me acosté a dormir con un nudo en el estómago.

—¡Feliz cumpleaños! —me pareció oír en sueños y la abuela me entregó un paquete enorme. Pensé que su memoria se estaba poniendo cada vez peor. Ahora confundía la noche con el día.

—Es de noche, abue —le aclaré—. ¿Por qué no tratas de dormir un poco?

—Ya está amaneciendo y hoy vas a tener el cumpleaños más largo de tu vida. Abre los ojos, a ver si te gusta el regalo.

Estaba feliz, no sólo por el regalo sino, sobre todo, por la memoria de la abuela. Rompí el papel y empezaron a salir sorpresas: unas botas de caucho rojas, un impermeable amarillo, una cantimplora y un morral...

—Son para la excursión —dijo la abuela.

—¿Cuál excursión?

—Para que veas que los deseos se cumplen, nos vamos a San Juan del Sumapaz.

—¿Cuándo?

—Dentro de una hora. Tienes el tiempo exacto para bañarte y desayunar.

Me refregué bien los ojos y los abrí lo más que pude para comprobar que no estaba soñando.

A las seis de la mañana siguieron las sorpresas. En la puerta de la casa había un *jeep* esperándonos. El tío Ramón manejaba, Ángela dijo que era el copiloto de la expedición y Violeta estaba en el asiento de atrás. Me regalaron un sombrero de explorador y una chaqueta roja que combinaba con las botas. Cantamos durante todo el camino. La abuela trataba de estar feliz, aunque no podía. Intentó cantar con nosotros pero yo la conocía. Hice el mayor esfuerzo y busqué en la memoria los mejores chistes de mi colección, para ver si le sacaba una sonrisa:

—¿Sabes por qué se suicidó el cuaderno de matemáticas, abue?

—¿Por qué?

—Porque tenía muchos problemas.

—Qué chiste tan malo —dijo Violeta. Yo pensé que tenía razón. Debía ser pésimo, porque la abuela seguía muy seria.

—Hasta aquí entra el *jeep* —dijo el tío Ramón. Ahora sí comienza el paseo.

—¿Ya llegamos? —pregunté decepcionado. No me acordaba de que San Juan del Sumapaz fuera así.

—Ya llegamos al comienzo del camino —dijo Ángela—. Ahora sí vamos a ver qué tan fuertes son estos niños de ciudad. ¿Ven esa trocha? Tenemos que ir hasta la punta de la montaña.

—¿Y cómo vamos a llegar hasta allá? —preguntó Violeta.

—Un poco a pie... y otro caminando —le contestó el tío Ramón.

Entendí por qué la abuela lo había pensado tanto para cumplir mi deseo y la quise más que nunca. Quería decirle "yo te protejo, no tengas miedo, no va a pasarte nada", como tantas veces me lo había dicho ella. Y se lo dije apretándole la mano, sin voz.

Apareció la quebrada y nos envolvió la niebla. Yo iba en silencio de la mano de la abuela y tuve que alzar la cabeza para mirarla porque, de pronto, me pareció que caminaba de la mano de papá, con mis botas rojas. El piso se volvió húmedo y resbaloso y el aire y la tierra empezaron a oler a mojado. Andábamos con cuidado, bordeando la quebrada, cada uno concentrado en sus propios pasos, sobre una alfombra de musgo. Yo pensaba en el sonido del agua y en el olor del bosque. Yo respiraba y recordaba. Y era como si el tiempo no fuera este sino otro. Éramos mamá y yo en la quebrada. Eran los árboles inmensos que papá cuidaba. Era volver a estar con ellos. El tío Ramón iba adelante, abriendo paso entre los matorrales con un palo.

—Este es mi bosque con alfombra —le dije a la abuela.

—Este es tu bosque —repitió ella—. Tu mamá decía que este era tu paraíso.

—Aquí comienza la Reserva Forestal de San Juan del Sumapaz —dijo Ángela—. Este proyecto lo ayudaron a crear tus papás, Juan. Esta era su vida. Ojalá algún día pueda ser también tuya.

Una pareja de campesinos y una niña de mi edad nos estaban esperando.

—¡Cómo está de grande el niño! —dijo el señor—. Tiene los mismos ojos del papá.

A la abuela la obligaron a subirse a una mula porque faltaba el camino más empinado. Yo me reí cuando le vi la cara de susto. La mujer se quedó mirándome y dijo que mi risa era la misma de mamá.

—Campana: ¿usted se acuerda de Juan? —le dijo la mujer a la niña.

La niña dijo que no con la cabeza.

Los dos nos quedamos mirándonos un rato muy largo y, mientras nos mirábamos, empezamos a reconocernos. De repente, sin hablar, salimos corriendo juntos para abrirle paso a la mula. Era extraño: aunque los caminos se habían borrado, yo los iba trazando con Campana como si los conociera de toda la vida.

Los primeros en llegar al claro del bosque fuimos Campana y yo. Violeta iba detrás y tenía la cara del color de mis botas. No se veía fuerte ni grande, sino cansada. Le dijo a Ángela que le dolía el estómago pero yo sabía que no era el estómago lo que le dolía.

—Tengo que esperar a mi amiga de Bogotá —le dije a Campana cuando me di cuenta, y me devolví para que no se sintiera desamparada en medio del bosque.

—Campana: te presento a Violeta, que es mi mejor amiga de Bogotá —dije muy educado, imitando a la abuela en las visitas, para que ella se creyera muy importante.

—Hola —dijo Violeta.

—Violeta: te presento a Campana, mi mejor amiga del Bosque de Niebla.

Campana la saludó con un movimiento de cabeza.

Las invité a entrar a la casa. Empujé la puerta y entré derecho a la cocina. Una señora estaba cuidando una olla grande en el fogón. Olía delicioso. Mi estómago vacío me recordó que había desayunado casi de noche.

—Cómo pasa el tiempo, Juan —me dijo—. Yo te conocí de dos meses y ya eres un señor. ¿Cuántos años cumples?

—Ocho.

—Espero que todavía te guste el sancocho de la tía Rosa. Es nuestro regalo de cumpleaños.

—¿Quién es la tía Rosa? —pregunté.

—Yo soy la tía Rosa. Tu mamá y yo nos queríamos como hermanas. Vivo en esa casita blanca que se ve por la ventana, allá lejos. Y además soy tu madrina.

Pensé que el cuento de la abuela era cierto. Cada vez me aparecían nuevas madrinas. Traté de sumar las de Bogotá y las de Sumapaz pero no me alcanzaron los dedos de la mano. Nos sentamos alrededor de la mesa. Me dijeron que papá la había fabricado cuando yo nací.

—Todos los muebles son de esa época. Antes no les importaba nada. Dormían en hamacas y comían cualquier cosa. Pero cuando supieron que ibas a nacer, dijeron que la vida les había cambiado. Que tú necesitabas una casa de verdad. La cuna que hay en ese cuarto la pintó tu mamá —me dijo el señor que estaba con Rosa. Me imaginé que debía ser mi tío de Sumapaz pero no dije nada para que el tío Ramón no se pusiera celoso, como Violeta.

—La yuca la trajo Marisol. Las papas son regalo de los Romero. Y las gallinas son de la casa de Ezequiel. Cuando supo que venías, las trajo para el sancocho —dijo la tía Rosa.

—Yo desgrané la mazorca —se atrevió a decir Campana. Era la primera vez que le oía la voz.

La abuela dijo que la casa estaba reluciente. Eso le encantó porque era fanática de la limpieza.

—Yo la mantengo así —dijo la mamá de Campana—. Siempre va a estar así, para cuando quieran venir a quedarse. Además, cada tercer día cambio las flores.

La abuela ya no estaba triste. Tenía lágrimas pero no tenía tristeza. Yo nunca la había visto reírse como ese día. Y pensé que su risa me recordaba la risa de alguien más.

El regreso fue muy animado. La abuela decía que ella no era inválida para ir en una mula y nos reímos de su cara. La familia de Campana y mis nuevos tíos nos iban contando todo:

—Estos cultivos de curuba fueron idea de tu papá.

—Esas son las huellas de un oso de anteojos —nos mostró Campana.

—¿De verdad existen los osos de anteojos? —dudó Violeta.

—Claro que existen. Yo vi uno con mi papá —dije, sin saber si era del todo cierto.

—Mira la escuela, Juan. Tu mamá organizó una biblioteca. Debajo de este árbol contaba cuentos los sábados por la mañana y venían niños de todas las veredas.

—¿Podemos entrar? —pregunté.

—Ya se está haciendo de noche. Es mejor llegar a la carretera principal con luz de día.

Al final noté que íbamos muy rápido. Y vi también que de las casas salía gente a saludarnos. Todos decían "adiós, Juan", como si me conocieran. Violeta estaba impresionada.

—Nunca me imaginé que fueras tan famoso —me dijo—. Sólo te falta firmar autógrafos.

Me di cuenta de que me miraba distinto. Tal vez, con ocho años, ya no le parecía el mismo enano de antes.

Era tardísimo cuando el tío Ramón nos dejó en la casa.

—Tenías razón, abue. Este ha sido el cumpleaños más largo de toda mi vida. Y el mejor.

—¿Te gustó la sorpresa? —me preguntó.

—Lo que más me gustó fue saber que tengo dos casas: una en Bogotá y otra en San Juan del Sumapaz. Y además, tienes razón: lo de las hadas madrinas es cierto. Cada vez me aparecen unas nuevas.

—Yo siempre tengo razón. Es que a ti todo el mundo te protege.

—Abue, ¿puedo pedir otro deseo?

—¿Otro? —dijo la abuela y me miró asustada como diciendo, "ahora qué se le va a ocurrir"...

—Me gustaría que las próximas vacaciones fueran en Sumapaz. Quiero vivir mucho tiempo allá para cuidar el Bosque de Niebla y cultivar agua, como mis papás.

—Vas a tener que esperar muchas vacaciones hasta que tu deseo se haga realidad —dijo la abuela—. Pero algún día se va a cumplir, te doy mi palabra. Como decía tu mamá, esta situación no puede durar toda la vida. Las cosas tienen que cambiar.

—¿Sabes, abue? Si el cielo se parece a San Juan de Sumapaz, papá y mamá deben estar felices.

—Sí —dijo ella—. Donde estén, deben estar riéndose. Siempre estaban felices. Y tú, ¿cómo estás?

—Un poco triste, un poco feliz y un poco cansado.

—Pues tienes que descansar porque mañana sigue el cumpleaños. Yo te dije que iba a ser muy largo. Viene toda la familia, más tu colección de madrinas, y tengo que madrugar a hacer varios moldes de torta de naranja. Si quieres puedes dormir conmigo, con tal de que te acuestes pronto. Yo también estoy rendida.

—No, abue. Hoy voy a dormir solo. Y, si quieres, apaga la luz del corredor. Ya con ocho años no me pueden dar miedo los agujeros negros.

—¿Estás seguro, o quieres hacerte el valiente?

—Estoy casi seguro —le dije y la abracé con todas mis fuerzas.

No me acuerdo si soñé con la Fábrica de Agua o con la torta de naranja. Lo que sí sé es

que esa noche no había ningún agujero negro. Y eso que nuestra casa de Bogotá estaba en tinieblas.

Para saber más...

Epílogo
Antes de cerrar el libro

Tal vez leemos y escribimos porque creemos en el poder de las palabras para expresar lo que sentimos, para saber lo que pensamos y para construirnos por dentro. Pero también porque sabemos que las palabras van creando realidades y tienen el poder de transformar el mundo. Los acuerdos que la humanidad ha establecido y que luego se han convertido en declaraciones firmadas por muchos países muestran cómo, poco a poco, las palabras modifican nuestra forma de pensar. Y al cambiar nuestra forma de pensar, es posible cambiar otras cosas.

Es un proceso muy lento. Para que las frases de una declaración se traduzcan en hechos concretos, a veces se necesita muchísimo tiempo. Por ejemplo, en la época de la Revolución francesa, cuando los miembros de la Asamblea Nacional Constituyente proclamaron la Declaración de los Derechos del Hombre en 1789, muy poca gente creía en frases como estas: "Los hombres nacen y permanecen libres e iguales en derechos". Y aunque hoy, después de más de dos siglos, nos quede tanto por hacer para que la frase sea totalmente real, la mayoría de la humanidad comparte esa idea sobre la igualdad de las personas, que entonces parecía tan revolucionaria y lejana.

En 1989, exactamente doscientos años después de la Declaración de los Derechos del Hombre, se aprobó la Convención sobre los Derechos de los Niños en la Asamblea General de las Naciones Unidas y 191 países firmaron la declaración, comprometiéndose a hacerla efectiva.

Colombia fue uno de los países firmantes y asumió el nuevo enfoque que considera a los niños, no como ciudadanos del futuro, sino como ciudadanos del presente, con plenos derechos desde el comienzo de su vida. El artículo 44 de nuestra Constitución Política de 1991 recogió esa nueva idea de los niños como sujetos de derechos.

Leer las palabras de ese artículo y ver, al mismo tiempo, lo que sucede todos los días con nuestros niños y niñas produce sentimientos encontrados y, tal vez, una mezcla de risa, tristeza y rabia, pues, como ustedes verán, los hechos están muy lejos de las palabras. Pero una constitución solamente cobra vida cuando los ciudadanos se apropian de ella y se preocupan por cumplirla y por reclamar que se cumpla. Esa es la razón para terminar el libro con el artículo 44 que proclama una bella frase: "los derechos de los niños prevalecen sobre los derechos de los demás". La frase quiere decir que los niños están siempre en primer lugar, como tan bien lo sabían los padres de Juan.

Si es cierto que las palabras pueden crear realidades, tenemos una larga tarea por delante. Y para comenzarla a hacer, es muy importante que todos los niños, las niñas y los adultos conozcamos lo que las leyes de nuestro país se han comprometido a garantizar. Saber a qué tenemos derecho no sólo es nuestro derecho, sino también nuestro deber como ciudadanos en ejercicio. Lean el siguiente artículo, tómenlo al pie de la letra y, si pueden, manténgalo en un lugar visible, para que cada vez más gente lo vaya conociendo. Cuando todos lo repitamos y lo invoquemos y velemos por su cumplimiento, estará más cerca de convertirse en realidad. Como decía la mamá de Juan, "las cosas tienen que cambiar". Y como no podemos darnos el lujo de esperar otros doscientos años, ¿qué les parece si empezamos ahora mismo, antes de cerrar el libro?

Artículo 44

Constitución Política de Colombia, 1991.
Capítulo II. De los derechos sociales, económicos y culturales.

Son derechos fundamentales de los niños: la vida, la integridad física, la salud y la seguridad social, la alimentación equilibrada, su nombre y nacionalidad, tener una familia y no ser separados de ella, el cuidado y amor, la educación y la cultura, la recreación y la libre expresión de su opinión. Serán protegidos contra toda forma de abandono, violencia física o moral, secuestro, venta, abuso sexual, explotación laboral o económica y trabajos riesgosos. Gozarán también de los demás derechos consagrados en la Constitución, en las leyes y en los tratados internacionales ratificados por Colombia.

La familia, la sociedad y el Estado tienen la obligación de asistir y proteger al niño para garantizar su desarrollo armónico e integral y el ejercicio pleno de sus derechos.

Cualquier persona puede exigir de la autoridad competente su cumplimiento y la sanción de los infractores.

Los derechos de los niños prevalecen sobre los derechos de los demás.

Yolanda Reyes

Autora

Escritora y educadora nacida en Bucaramanga, Colombia, en 1959. Fue una de las fundadoras de Espantapájaros (Bogotá), un proyecto pionero en el fomento de la lectura desde la primera infancia. Es autora de numerosos ensayos que recogen su trabajo de investigación en torno a la formación de lectores y ha asesorado a diversas organizaciones nacionales e internacionales en el diseño de programas y lineamientos sobre políticas de infancia, lectura y literatura.

Desde hace más de diez años es columnista habitual del diario El Tiempo de Bogotá y obtuvo Mención Especial en el Premio Simón Bolívar de Periodismo. Dirige la colección *Nidos para la Lectura* de Loqueleo, que ha rescatado, editado y divulgado un conjunto de obras destacadas de la literatura infantil.

Entre sus obras literarias figuran: *El terror de Sexto B* (1994), *Los años terribles* (2000), *Una cama para tres* (2004), *Pasajera en tránsito* (2006).

Índice

Aquí acaba este libro
escrito, ilustrado, diseñado, editado, impreso
por personas que aman los libros.
Aquí acaba este libro que tú has leído,
el libro que ya eres.